CW00394380

Weitere Mini-Bilderbücher von James Krüss:

Die ganz besonders nette Straßenbahn	ISBN 978-3-414-81403-6
Der blaue Autobus	ISBN 978-3-414-81402-9
Wer rief den bloß die Feuerwehr	ISBN 978-3-414-81401-2

MIX
Papier aus verantwor-
tungsvollen Quellen
FSC® C002795

© 1958 Boje Verlag
in der Bastei Lübbe, AG, Köln
Alle Rechte vorbehalten
Druck und Verarbeitung: Livonia Print, Riga
Printed in Latvia

ISBN 978-3-414-81400-5

19 18 17 16 15

www.boje-verlag.de

HENRIETTE BIMMELBAHN

EIN LUSTIGES BILDERBUCH MIT VERSEN VON JAMES KRÜSS
UND ILLUSTRATIONEN VON LISL STICH

Boje

Henriette heißt die nette,

alte kleine Bimmelbahn.

Henriette, Henriette

fuhr noch nie nach einem Plan.

Henriette steht so lange

auf dem Bahnhof, wie sie mag.

Und so steht sie dort auch heute

an dem schönen Sommertag.

Henriette, Henriette

wartet, bis das letzte Kind,

bis die Großen und die Kleinen

in den Zugabteilen sind.

Doch dann pfeift sie und sie bimmelt,

rattert, knattert, dampft und faucht,

ruckelt, zuckelt, klappert, plappert,

bebt und bibbert, rollt und raucht.

Bummelt munter durch die Wiesen,

bremst und pfeift bei jeder Kuh,

bimmelt leise ihre Weise,

und die Kuh erwidert: Muh

Gleich danach hört man ein Rufen

aus dem Brommelbeerenschlag.

Vierzehn Hasen rufen heiter:

Henriette, guten Tag!

Wenn die Blumenwiesen kommen

an der Straße hinterm Wald,

macht die alte Henriette,

macht das Bimmelbähnchen Halt.

Denn dort steigen alle Kinder

aus den Zugabteilen aus,

pflücken Klee für die Kaninchen

und für Oma einen Strauß.

Bimmelimm, dann geht die Glocke,

und ein jedes kommt gerannt,

und die alte Henriette

zuckelt weiter über Land.

Henriette, Henriette,
rattert fort mit Klipp und Klapp,
und sie liefert in den Dörfern
jedes Kind getreulich ab.

Alle Omas, alle Opas

rufen fröhlich: Gott sei Dank!

Nehmen Kinder, Körbe, Koffer

und die Blumen in Empfang.

Doch die alte Henriette
ruckelt müde, zuckelt matt,
bimmelt leise ihre Weise
und rollt heimwärts in die Stadt.